CW01086237

# KRAB COLIN ZNAJDUJE SKARB

**Krab Colin znajduje skarb**

Tekst ***Tuula Pere***
Ilustracje ***Roksolana Panchyshyn***
Opracowanie ***Peter Stone***
Tłumaczenie na język polski ***Bożena Podstawska***

ISBN 978-952-325-335-3 (Hardcover)
ISBN 978-952-325-336-0 (Softdcover)
ISBN 978-952-325-577-7 (ePub)
Pierwsza edycja



Opublikowano w 2021: Wickwick Ltd
Helsinki, Finlandia

**Colin the Crab Finds a Treasure**, Polish Translation

Story by ***Tuula Pere***
Illustrations by ***Roksolana Panchyshyn***
Layout by ***Peter Stone***
Polish translation by ***Bożena Podstawska***

ISBN 978-952-325-335-3 (Hardcover)
ISBN 978-952-325-336-0 (Softdcover)
ISBN 978-952-325-577-7 (ePub)
First edition



Published 2021 by Wickwick Ltd
Helsinki, Finland

Originally published in Finland by Wickwick Ltd in 2017
Finnish "Timo Taskuravun aarre", ISBN 978-952-325-078-9 (Hardcover), ISBN 978-952-325-578-4 (ePub)
English "Colin the Crab Finds a Treasure", ISBN 978-952-325-333-9 (Hardcover), ISBN 978-952-325-833-4 (ePub)

POLISH EDITION

# Krab Colin znajduje skarb

Tuula Pere · Roksolana Panchyshyn

WickWick
Children's Books from the Heart

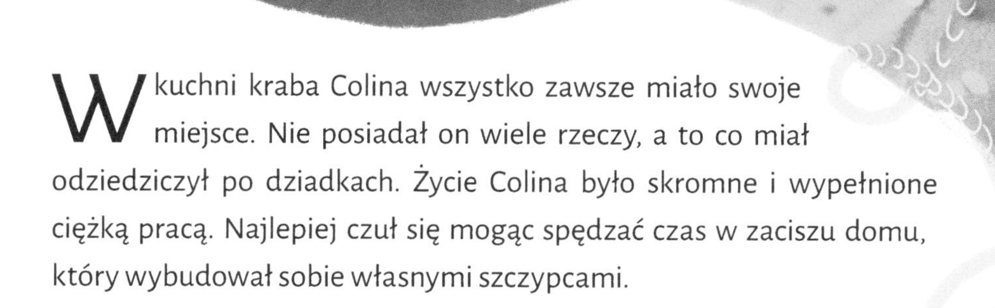

W kuchni kraba Colina wszystko zawsze miało swoje miejsce. Nie posiadał on wiele rzeczy, a to co miał odziedziczył po dziadkach. Życie Colina było skromne i wypełnione ciężką pracą. Najlepiej czuł się mogąc spędzać czas w zaciszu domu, który wybudował sobie własnymi szczypcami.

Szary garnek Colina bulgotał radośnie na piecu. Był on często używany, więc powyszczerbiał się i poobijał w wielu miejscach, lecz to nie martwiło Colina ani trochę. Wiedział, że kiedyś w tym garnku gotowano najpyszniejsze zupy i gulasze na całym brzegu rzeki. Colin często zapraszał swoich licznych przyjaciół na poczęstunek. Teraz jednak był zupełnie sam, siedział w bujanym fotelu i cierpliwie czekał, aż owsianka na wodorostach się dogotuje.

Colin potrzebował solidnego śniadania, ponieważ za chwilę wybierał się na wycieczkę w dół rzeki, aby zrobić zakupy w sklepie ośmiornicy Ozzie. Półki w kredensie były już puste i należało uzupełnić je świeżym prowiantem. Przyprawy prawie się już skończyły, a w pojemniku z ziołową herbatą widać było dno. Trzeba było też kupić sproszkowane wodorosty.

Colin przesunął garnek z owsianką na brzeg pieca i zdecydował, że przed porannym posiłkiem zajrzy jeszcze do szopy z narzędziami. Był zapalonym budowniczym i dlatego musiał na bieżąco uzupełniać materiały budowlane. Teraz też okazało się, że trzeba dokupić trochę gwoździ, żelazny drut i duże zawiasy do naderwanej bramy u Pani Sumowej.

Zapowiadał się pracowity tydzień. Colin znał się na swoim fachu. Mieszkańcy całej zatoki powierzali sprawnym szczypcom kraba wszelkie naprawy w swoich domach. Odczuwając z tego powodu lekką dumę, naprężył pancerz i udał się dziarsko do kuchni, aby zjeść pożywną owsiankę.

Do sklepu Ozziego nie było daleko, ale Colin musiał zarezerwować na wyprawę dużo czasu. W drodze do sklepu, ciągnąc pusty jeszcze wózek, lubił często przystawać na pogawędkę z przyjaciółmi. Miał też w zwyczaju podwozić wózkiem każdego, kto podobnie jak on wybierał się na zakupy. Powrotna droga z załadowanym wózkiem też zajmie sporo czasu. Trzeba będzie przecież ciągnąć go pod prąd.

Swoim starym zwyczajem, gdy wyruszał w drogę, odwrócił się i jeszcze raz spojrzał na swój dom.

– Ależ mam wspaniały dom – pomyślał kiwając głową, zadowolony z widoku.

Sam go zbudował. Każde piętro i pokój, każde okno i każdy stopień schodów. To, co kiedyś było skromnym mieszkaniem w piwnicy powoli wyrosło w górę przemieniając się w piękny dom górujący nad brzegiem rzeki i ponad nadbrzeżnymi roślinami. Wieczorami Colin często siadał na dachu swojego domu i przyglądał się w zadumie, jak srebrny księżyc oświetla pobliskie łąki nad rzeką i powierzchnię wody w jego rodzinnej zatoce.

– Rzeczywiście, to najwspanialszy dom na świecie – pomyślał krab i uważnie zamknął za sobą bramę.

Krab Colin beztrosko ciągnął swój wózek w dół rzeki i powtarzał w myśli listę zakupów. Prąd był w tym miejscu spokojny i podróż w dół strumienia była bardzo przyjemna.

Kamienie gładko oszlifowane przez prąd rzeczny znaczyły zakręt na rzece. To miejsce uformowane przez naturę idealnie nadawało się do kąpieli i pobliscy mieszkańcy odwiedzali je często. Już z daleka Colin widział, że woda jest wzburzona, a miękki piasek na dnie faluje lekko i układa się w fałdy. To mogło oznaczać tylko jedno: rozgwiazda Sally zażywa porannej kąpieli i szoruje wszystkie pięć ramion jednocześnie.

– Drogi Colinie, z pewnością nie spieszy ci się za bardzo. Będę gotowa za sekundę – zawołała Sally spośród pluszczącej wody. – Mam nadzieję, że podwieziesz mnie w dół strumienia.

– Ależ oczywiście – odpowiedział zadowolony Colin. – Mój wózek jest jeszcze pusty. Jest tam mnóstwo miejsca dla ciebie.

Niewiele czasu minęło, a wypielęgnowana Sally siedziała w wózku z rozłożonymi szeroko ramionami i korzystała z przejażdżki.

– Tak przyjemnie jest odwiedzać sklep Ozziego. Można tam robić zakupy, a jednocześnie spotkać się z przyjaciółmi – powiedział Colin.

– Tak... Przyznaję, że to dość dobry sklep, jeśli chcesz kupić czegoś zwykłego – odpowiedziała Sally marszcząc lekko nos. – Lecz ja często potrzebuję czegoś wyjątkowego. Wosk do nabłyszczania ramion i krem do moich przyssawek są dostępne tylko w wyspecjalizowanych sklepach.

Colin kiwnął głową lekko speszony. Jemu zawsze wystarczało zwykłe jedzenie i zwykłe narzędzia. A te łatwo było dostać w sklepie u ośmiornicy.

Pod sklepem Ozziego zebrały się tłumy. Krab Colin znalazł spokojniejsze miejsce parkingowe dla swojego wózka tuż za rogiem, ale rozgwiazda natychmiast poszła sprawdzić, co jest przyczyną tego całego zamieszania.

Colin ostrożnie zmierzał w stronę przepychającego się tłumu. Uwaga wszystkich była skierowana gdzieś w środek grupy. W tym ogólnym rozgardiaszu krabowi udawało się rozróżnić tylko niektóre słowa. Przemawiał właśnie węgorz Eddie.

– Najnowszy z najnowszych... Dalekomorski... Wyposażony w alternator i w lśniącą turbinę... – węgorz z zapałem opowiadał o urządzeniu, na którym skupiona była uwaga wszystkich zebranych.

Colin powoli podążył wzdłuż brzegu rzeki. Z miejsca, w którym się znajdował popatrzył na sklep widniejący w dole. Z daleka widział, jaką radość węgorz czerpie z tego, że jego nowe cudo technologiczne znajduje się w centrum uwagi. Sprowadził ten wynalazek technologiczny aż zza wielkiego oceanu i był z niego niezmiernie dumny.

– Mój nowy motokopter to bez wątpienia najszybszy środek lokomocji w całej rzece – przechwalał się Eddie. – Niedługo mam zamiar wypróbować go w oceanicznych warunkach. Zapewniam was, że nawet moi krewni z Morza Sargassowego zaniemówią z wrażenia, kiedy go zobaczą!

Niezauważony, krab Colin zsunął się w dół po brzegu rzeki i wślizgnął się do pustego sklepu ośmiornicy. Oczywiście on także zdawał sobie sprawę z tego, jak wspaniałym wynalazkiem jest pojazd Eddiego, nie sądził jednak, że należało się z tego powodu aż tak ekscytować.

Jeśli chodzi o samego kraba, nie widział, na co mógłby mu się przydać pojazd z buczącym silnikiem i tak wieloma przyciskami. Zastanawiał się, jak to w ogóle możliwe, że węgorz Eddie zawsze tak bardzo się zachwyca wszystkimi nowoczesnymi gadżetami. Racja, przynajmniej Eddiemu nigdy się nie nudzi... Przy takim sprzęcie jest zawsze mnóstwo do zrobienia. A to jakaś część wymaga wymiany, a to trzeba zdobyć nowe akcesoria do pojazdu, a to silnik wymaga przeglądu generalnego.

Eddie lubił drażnić się z Colinem i żartować, że krab jest jedyną żywą skamieliną, która pozostała w tej zatoce. Lecz Colin się tym nie przejmował. Kraby przecież zawsze takie były, są i będą. To samo zawsze powtarzał dziadek Colina, a był on naprawdę mądrym skorupiakiem.

Krab Colin zdecydował, że najlepiej zrobi, jeśli skoncentruje się teraz na swoich sprawach i liście zakupów.

W chwilę później Colin był już w sklepie i wybierał rzeczy, których potrzebował. Dzięki temu, że pozostali klienci poszli podziwiać motokopter Eddiego, miał sprzedawcę wyłącznie do swojej dyspozycji.

– Colinie, mam tutaj jeden z najnowszych wynalazków technologicznych, który mógłby cię zainteresować – zaproponował Ozzie i zaprezentował trzymaną w mackach błyszczącą wiertarkę .

– Moja stara wiertarka wciąż jeszcze całkiem dobrze działa – powiedział Colin nieco zakłopotany. Za żadne skarby nie rozstałby się ze starą wiertarką odziedziczoną po dziadku. Leżała w jego szczypcach jak ulał i nie wydawała tego denerwującego głośnego buczenia.

– A co powiesz na naszą najnowszą ofertę specjalną? – Ozzie wskazał macką półki stojące za nim. – Mamy dzisiaj ogromny wybór atrakcyjnych artykułów po bardzo przystępnych cenach.

– Dziękuję bardzo, ale myślę, że mam już wszystko, czego potrzebuję – mruknął Colin z wahaniem.

– No cóż, może następnym razem. Coś nowego i świeżego na uczczenie wiosny – zaproponował sklepikarz z nadzieją w głosie.

Czując się nieco zażenowany, Colin zaniósł zakupy do swojego wózka i powoli ruszył w drogę powrotną do domu.

Rozgwiazda Sally odmówiła powrotnej przejażdżki. Wskoczy później do nowego motokoptera Eddigo i będzie w domu w mgnieniu oka.

Colin brnął pod prąd metr za metrem. Czy prąd stał się rzeczywiście silniejszy, czy to może jego ładunek był cięższy niż zazwyczaj? Koła wózka ciągle utykały pomiędzy kamieniami na dnie, lecz Colin uparcie kontynuował podróż do domu.

Zanim Colin dotarł w pobliże domu dobrej starej Pani Sumowej, musiał zatrzymać się dla nabrania oddechu. Przysiadł na brzegu swojego wózka i spojrzał na jej dom. Dobrze go znał, ponieważ Pani Sumowa ciągle potrzebowała jego pomocy. Biedny stary dom popadłby w zupełną ruinę, gdyby nie on.

Kiedyś był to naprawdę okazały budynek. Lecz teraz dni świetności miał już za sobą. Jednak Pani Sumowa nawet nie potrafiła sobie wyobrazić, że mogłaby zamieszkać gdzieś indziej. Był to dla niej dom pełen wspomnień i cennych przedmiotów.

– Oto prawdziwy antyk – zawołała Pani Sumowa z balkonu, wymachując w kierunku kraba wieloramiennym świecznikiem.

Widać było, że jest pogrążona w spełnianiu najważniejszego ze swoich obowiązków, polerowaniu zebranych przez lata skarbów. Colin zaoferował swoją pomoc, lecz szybko mu odmówiła.

– Nie wątpię, że jesteś najbardziej wprawnym budowniczym i dekarzem w okolicy, lecz twoje szczypce nie są stworzone do delikatnego obchodzenia się z cenną porcelaną lub srebrnymi antykami – wyjaśniła. – Ja tymczasem mam w tym lata doświadczenia.

– Bardzo dobrze to rozumiem – odpowiedział Colin i chwycił rączki od wózka swoimi mocnymi szczypcami.

Stara Pani Sumowa pomachała mu na do widzenia ścierką do polerowania i powróciła do swojego zajęcia przy antykach.

W domu traszki Normy panował ciągły harmider. Jej duża rodzina prowadziła niezwykle aktywne życie. Norma miała tak wiele dzieci, że krab Colin nawet nie próbował ich zliczyć. Jak zwykle pełna energii, mama traszka wyszła na podwórko, by podzielić się nowinami.

– To zupełnie zwariowany poranek – westchnęła, wycierając ręce w fartuch.

– Mam nadzieję, że nie wydarzyło się nic poważnego – powiedział Colin z nutą niepokoju w głosie.

– Oh, dzieciaki są dzisiaj tak niesforne, że nie dały mi nawet dokończyć pieczenia – odparła Norma udręczonym głosem. – Pierwsza porcja placka z owadami jest zupełnie zrujnowana, a dziś wieczorem planujemy przyjęcie urodzinowe dla naszego najmłodszego synka.

Małe traszki wdrapywały się na załadowany wózek kraba. Colin cierpliwie patrzył, jak się bawią i pomógł kilku maluchom, których nogi zaplątały się w sznurek do ciągnięcia.

Czasami krab Colin marzył, aby mieć taką dużą rodzinę. Byłaby dla niego największym skarbem na świecie. Ustawiałby wszystkie talerze na swoim okrągłym kuchennym stole, a wieczorami opowiadałby małym krabikom bajki na dobranoc. Oczywiście Colin miał całe grono przyjaciół, których lubił zapraszać do swojej nowej altany ogrodowej. Lecz przez większą część czasu w jego domu panowała cisza. Miał tylko kilku krewnych, ale mieszkali oni daleko.

Colin westchnął melancholijnie i ruszył w dalszą drogę. Ładunek na wózku wydawał się jeszcze cięższy niż wcześniej. Traszka Norma z pośpiechem wróciła do swoich wypieków, a małe traszki zostały na podwórku, żeby kontynuować zabawę między kwiatkami rumianku.

Drewniana podłoga zaskrzypiała pod bujanym fotelem Colina. Kubek z herbatą wystygł mu w szczypcach. Siedział tak już długo, zatopiony w myślach, patrząc przez okno jak ciemna noc zapada nad rzeką. Od swojej ostatniej wyprawy na zakupy czuł się dziwnie posępny.

Colin powrócił myślami do wydarzeń dnia. Przyjemnie było spotkać dziś przyjaciół, rozgwiazdę Sally, węgorza Eddiego, Panią Sumową i traszkę Normę. Colina cieszyło ich szczęście. Wszystko w ich życiu wydawało się takie poukładane. Trudno byłoby sobie wyobrazić piękniejszą rozgwiazdę niż Sally. Interesy Eddiego szły bardzo dobrze. Pani Sumowa była szczęśliwa w swym starym domu pośród kolekcji antyków.

Lecz najszczęśliwsza z nich wszystkich jest rodzina traszek – pomyślał Colin. Chociaż mama traszka czasami zdawała się być niezwykle zmęczona, na pewno nie wymieniłaby żadnego ze swoich maluchów za żaden skarb na świecie. Colin był tego pewny, kiedy widział, jak czułym spojrzeniem ogarnia wszystkie swoje dzieci, pomimo bałaganu i zamieszania, jakie robiły.

Krab bujał się na fotelu zadumany. Mimo, że wszystko było w porządku, odczuwał lekkie rozgoryczenie. W jego życiu brakowało chyba czegoś ważnego. Ale co to było? Colin jakoś nie widział się w modnych ubraniach i w centrum uwagi. Nie potrafił też wyobrazić sobie, że prowadzi super-szybki motokopter. A błyszczące srebra i krucha porcelana w jego kuchni nie przydałyby się na nic.

Lecz czy to oznaczało, że Colin był zbyt zwykły – po prostu nudny? Wiódł spokojne, uregulowane życie, które nie przynosiło tematów do plotek, nie miał skarbów, by się nimi chwalić. Krab opłukał kubek po herbacie, poszedł do łóżka i otulił się szczelnie kołdrą.

W nocy woda w zatoce podniosła się. Nie był to dobry znak. Colin spał bardzo niespokojnie i obudził się nagle w środku nocy. Wstał i wyjrzał przez okno w sypialni. Zaniepokoił się. Nagle wydało mu się, że wielka fala z oceanu płynie w nieodpowiednim kierunku. Wielkie fale nadciągające z głębi oceanu wpychały masy wody w górę rzeki. Fala za falą, woda z delty rzeki coraz bardziej parła w górę rzeki.

Dom Colina był mocny, więc wytrzyma burzę. Na wzburzonych falach rzeki widać było unoszące się najróżniejsze przedmioty. Wiry wodne obracały śmieciami wokół poręczy jego werandy frontowej. Lecz co do licha tak postukuje w słupki jego altany ogrodowej?

Krab wyszedł za drzwi i popełznął ostrożnie przez podwórko w kierunku altany. Musiał się mocno przytrzymywać szczypcami kamieni i roślin dennych. Przedzierając się z trudem pod prąd, dotarł do altany. Tuż przy niej zauważył ostrygę perłową, którą prąd rzeczny przyniósł aż tutaj z pól perłowych w oceanie. Ostryga raz za razem uderzała o ściankę altany i krab miał problem, żeby ją wyratować z opresji.

W końcu udało mu się pochwycić ją w szczypce. Przymocował ją mocno do altany za pomocą sznura od kotwicy i pozostał tam na resztę nocy, by jej doglądać.

„Pomyśleć, że jest tutaj ostryga perłowa aż z oceanu" – zamyślił się Colin. „Ciekawe czy ma pod swoją skorupą wspaniałą perłę." Krab nareszcie miał historię, którą będzie mógł podzielić się z przyjaciółmi.

Colin ostrożnie zapukał w skorupkę ostrygi, lecz ta wciąż uparcie odmawiała uchylenia skorupy. Colin jednak nie poddawał się. Czekał cierpliwie.

Krab Colin spędził całą noc przy boku perłowej ostrygi. Prąd się nieco uspokoił, a poranne słońce ogrzewało płytką wodę w zatoczce. Skorupa ostrygi wciąż pozostawała ściśle zamknięta. Colin rzucał delikatne ukradkowe spojrzenia w kierunku swojego gościa.

– Biedna ostrygo. Musiałaś przebyć spory szmat drogi – mówił sam do siebie. – Na szczęście twoja skorupa jest nienaruszona i jesteś tu teraz ze mną, cała i bezpieczna.

Godziny mijały. Colin cierpliwie siedział w altanie przy boku ostrygi i przemawiał do niej łagodnym głosem. Koło południa zapukał lekko w bok skorupy.

– Mam tu dla ciebie małą przekąskę, moja przyjaciółko – powiedział miękko. – Myślę, że najwyższy już czas, żebyś coś zjadła.

Skorupa leciutko się uchyliła. Krabowi udało się powoli wlać kilka kropel pożywnej zupy z owadów do ust swojego nieśmiałego gościa. Skorupa natychmiast znowu się zamknęła, a Colin stał rozczarowany z pustą łyżką w szczypcach. Już zaczynał się czuć bezradny, gdy skorupa ponownie się otworzyła.

– To było naprawdę pyszne. Najlepsza zupa, jaką kiedykolwiek jadłam – z wnętrza skorupy dochodził słaby głosik. – Jestem ostrygą perłową i nazywam się Priscilla. Silny prąd podczas burzy zabrał mnie z mojego domu, z pola perłowego przy wybrzeżu. Dziękuję ci za pomoc.

Colin karmił ostrygę powoli i bez słowa, łyżka po łyżce, tak długo, aż się najadła do syta.

Cały kolejny dzień Colin był zajęty obowiązkami domowymi. Wciąż doglądał również ostrygi, która odpoczywała teraz w zaciszu jego altanki.

“Teraz nawet ja mam w domu coś cennego, albo przynajmniej moja nowa przyjaciółka coś ma” – pomyślał Colin i wyobraził sobie lśniącą perłę, którą ostryga w sobie nosiła.

Dojście do siebie po ciężkich przejściach spowodowanych wielką falą przypływową zajęło Priscilli nieco czasu. Krab Colin dobrze wiedział, przez co musiała przechodzić. Sama, z dala od domu, w zupełnie obcym miejscu, pośród nieznajomych. Podróż z pola perłowego na wybrzeżu przez wzburzone ujście rzeki była pełna niebezpieczeństw. Lecz teraz ostryga Priscilla mogła czuć się bezpieczna w cichej zatoce jego domu.

Kiedy zapadł zmrok, a księżyc oświetlił niebo, nowi przyjaciele opowiadali sobie historie ich życia.

– Twoje życie w ogromnym oceanie jest na pewno bardzo ekscytujące – westchnął Colin tęsknie, kiedy ostryga opowiedziała mu o barwnej rafie koralowej i ogromnych liniowcach kursujących po oceanie, które importowały towary z odległych krajów.

– Wiesz, Colinie, może w to nie uwierzysz, ale to ja zazdroszczę tobie – odpowiedziała ostryga perłowa w zamyśleniu. – Oczywiście bardzo jestem dumna z perły, którą noszę w swojej muszli, lecz poza tym moje życie jest bardzo spokojne. Dzień za dniem spędzam tylko czas na polu perłowym i oglądam przepływające obok statki.

Ostryga Priscilla wiedziała, że Colina interesuje jej perła. Zazwyczaj nie pokazywała jej nikomu, lecz trzymała ją ciasno w muszli. *Lecz Colinowi można zaufać* – pomyślała Priscilla i odważyła się otworzyć skorupę. Promienie księżyca odbiły się od powierzchni perły, która zalśniła pięknym blaskiem. Krab Colin przetarł okrągłe oczy i aż zaniemówił z zachwytu. Nigdy, w całym swoim życiu nie widział czegoś podobnie pięknego.

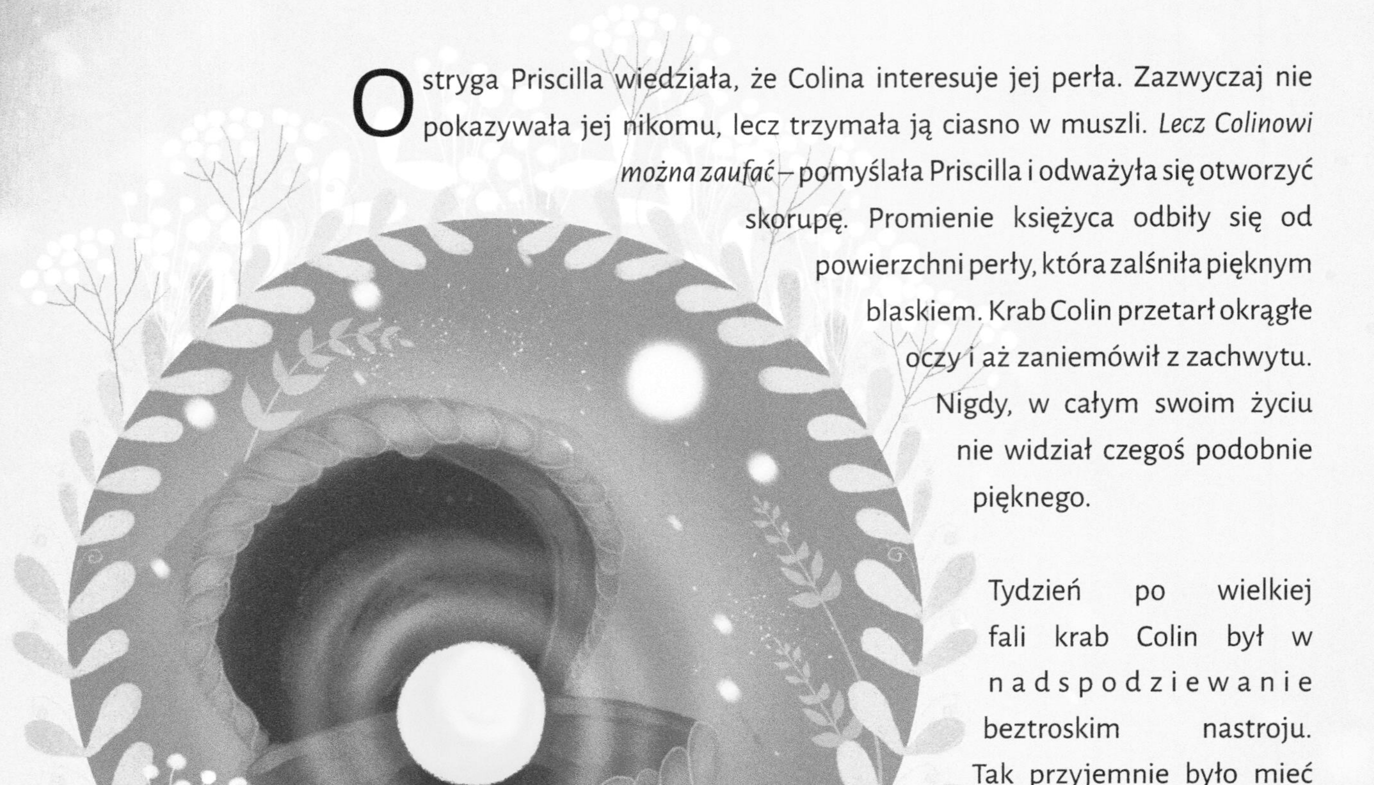

Tydzień po wielkiej fali krab Colin był w nadspodziewanie beztroskim nastroju. Tak przyjemnie było mieć nową współlokatorkę. To prawdziwa radość. Ostryga powoli dochodziła do siebie. Pyszne zupy Colina bardzo jej smakowały, a w zaciszu altany mogła się bez przeszkód relaksować.

Colin miał w zwyczaju odwiedzać przyjaciół, opowiadać im o ostrydze i o tym, jak pod jego opieką wracają jej siły. Wspomniał im także o tym, jakiego zaszczytu dostąpił, kiedy dane mu było podziwiać perłę w blasku księżyca. Zauważył, że rozgwiazda Sally zrobiła się chyba troszkę zazdrosna.

Z kolei Pani Sumowa od razu pokazała Colinowi swoją antyczną biżuterię i nie omieszkała zapytać, jak stara była perła ostrygi. A węgorz Eddie koniecznie chciał się dowiedzieć, ile perła jest warta, o czym jednak krab nie miał najbledszego pojęcia.

Pewnego razu, Colin po powrocie do domu od przyjaciół zauważył dziwnego gościa siedzącego na jego skrzynce na listy.

– Czy mogę się przedstawić? Nazywam się homar Larry i przybywam z bardzo daleka, z wybrzeża – powiedział bez zająknięcia. – Ośmielam się marzyć, że ktoś poczęstuje takiego włóczykija jak ja filiżanką pokrzepiającej herbaty.

– Ależ naturalnie – Colin zawahał się przez chwilę. –W jaki sposób trafiłeś do mojego domu?

– Ależ panie krabie, nie bądź taki skromy – przymilał się gość. – W końcu słyniesz ze swojej uprzejmości i gościnności.

– Proszę zatem, wejdź – powiedział Colin, trochę zdezorientowany i zaprosił nieznajomego do domu.

Colin ułożył przekąski na tacy i rozpoczął pogawędkę z gościem. Homar Lary odpowiadał na jego pytania z roztargnieniem, rozglądając się ciekawie po domu. Sprawiał wrażenie, jakby czegoś szukał.

– Podobno ma pan, panie krabie, nową współlokatorkę – zapytał z ciekawością. – Słyszałem, że pochodzi z wybrzeża. Zastanawiam się, czy to nie jakaś moja znajoma.

– Jeśli chcesz, możesz ją poznać – Colin przyzwolił z niechęcią. Możemy zjeść przekąski w altanie. Tam właśnie przebywa ostryga perłowa, odzyskuje siły po ciężkich przeżyciach.

Colin obserwował podejrzliwie, jak homar Larry ruszył na zewnątrz w mgnieniu oka i udał się prosto do ostrygi.

– Czcigodna ostrygo, proszę przyjmij ten skromy kwiat – powiedział miękko homar i wręczył Priscilli przepiękną lilię wodną. – Kwiaty te można znaleźć tylko tam, skąd przybywam.

Krab częstował przekąskami ostrygę i swojego nowego gościa. Rozmowa toczyła się gładko, homarowi ani na chwilę nie zamykały się usta. Miał niezwykle szeroką wiedzę na temat ostryg i pól perłowych. Nawet Priscilla powoli nabierała do niego przekonania. Wkrótce rumieńce wystąpiły na jej policzki.

Krab Colin przysłuchiwał się z boku, jak Larry szczegółowo opowiada o swoich przygodach. Colin nie mógł o sobie opowiedzieć nawet jednej równie ekscytującej opowieści. Wątpił, czy ktokolwiek chciałby słuchać, jak opowiada o łataniu dachów albo o budowaniu płotów. Wkrótce ostryga i homar byli całkowicie pochłonięci swoim towarzystwem. Colin po cichu pozbierał brudne naczynia i zaniósł tacę z powrotem do kuchni.

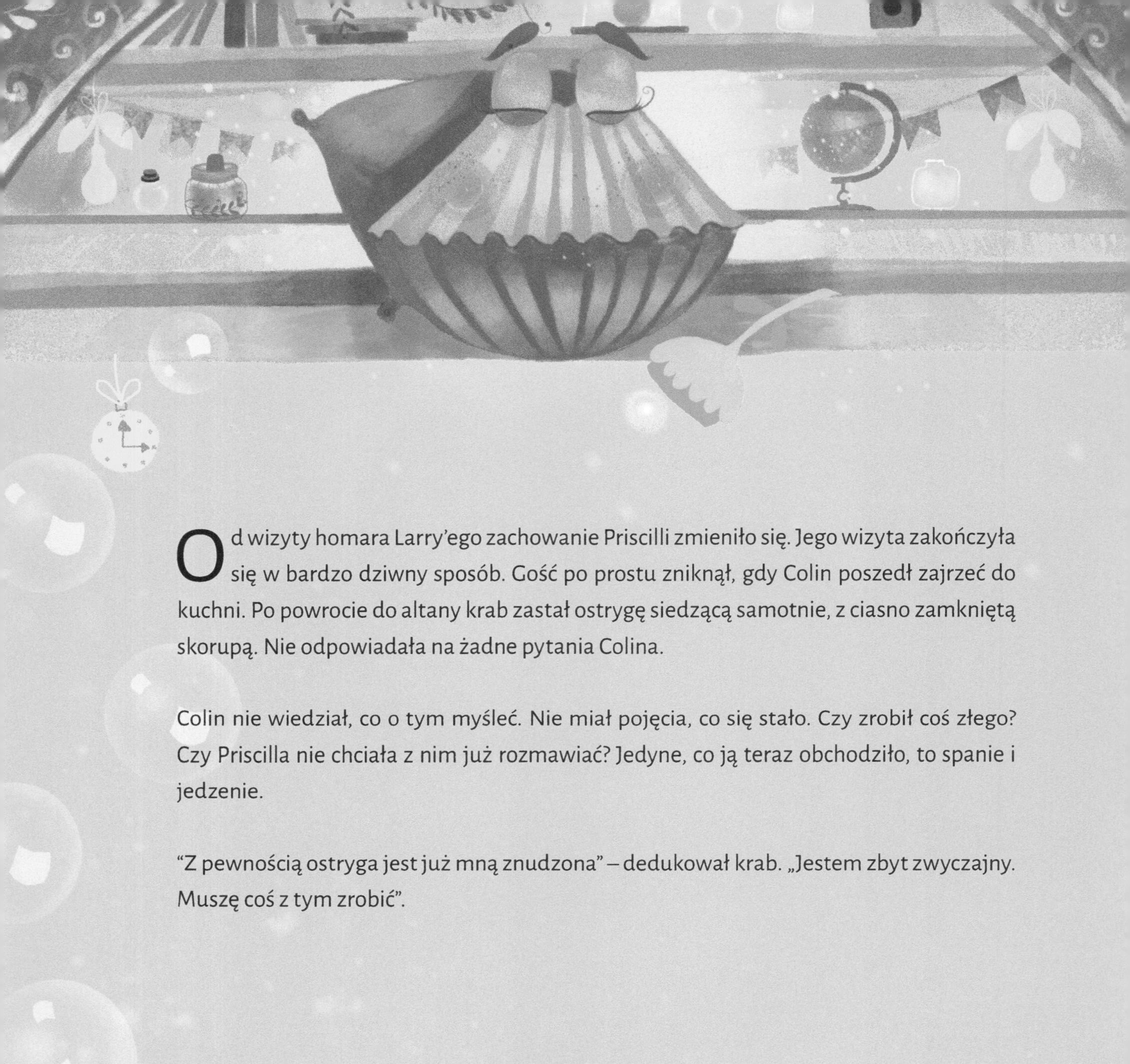

Od wizyty homara Larry'ego zachowanie Priscilli zmieniło się. Jego wizyta zakończyła się w bardzo dziwny sposób. Gość po prostu zniknął, gdy Colin poszedł zajrzeć do kuchni. Po powrocie do altany krab zastał ostrygę siedzącą samotnie, z ciasno zamkniętą skorupą. Nie odpowiadała na żadne pytania Colina.

Colin nie wiedział, co o tym myśleć. Nie miał pojęcia, co się stało. Czy zrobił coś złego? Czy Priscilla nie chciała z nim już rozmawiać? Jedyne, co ją teraz obchodziło, to spanie i jedzenie.

"Z pewnością ostryga jest już mną znudzona" – dedukował krab. „Jestem zbyt zwyczajny. Muszę coś z tym zrobić".

Na tyłach swojego magazynu znalazł sprzęt do ćwiczeń, który kiedyś węgorz Eddie podarował mu na urodziny. Teraz wreszcie się przyda. Krab musi popracować nad swoją muskulaturą. Nastąpiły dni ciężkich ćwiczeń. Colin podnosił ciężary i sumiennie ćwiczył. Od czasu do czasu sprawdzał efekty swoich wysiłków w lustrze, ale nie był w stanie dostrzec żadnych znacznych zmian.

Priscilla bez słowa obserwowała poczynania Colina. Bardzo chciała powiedzieć przyjacielowi prawdę, ale nie wiedziała, jak zacząć. Stało się coś, co nigdy nie powinno nastąpić. Ostryga straciła swoją perłę.

Po kolejnym dniu ćwiczeń Colin ostrożnie zbliżył się do ostrygi, która przykucnęła samotnie w altanie. Wieczór był śliczny, a rzeka spokojna.

– Wydaje mi się, że nie czujesz się najlepiej – powiedział Colin, głaszcząc delikatnie skorupę. – Jak mogę ci pomóc? Chciałbym, żebyś mogła mi powiedzieć, co cię gnębi.

Ostryga Priscilla wciąż milczała. Wstydziła się, że tak łatwo uległa homarowi Larry'emu. Uwierzyła w jego przymilne słowa i pozwoliła, aby ten oszust wziął perłę w swoje szczypce. W krótkiej, lecz zaciętej potyczce pomiędzy ostrygą a homarem, perła wpadła pomiędzy kamienie na dnie rzeki. Czy Priscilla kiedykolwiek jeszcze zobaczy swój skarb?

Milczenie przeciągało się, lecz Colin nie tracił cierpliwości.

Krab i ostryga siedzieli tak w milczeniu w altanie, podczas gdy księżyc kontynuował swoją podróż przez niebo. Jego światło oświetliło duże łzy wydobywające się z muszli. W końcu uchyliła się ona powoli i Colin zobaczył, że perły nie ma wewnątrz. Szlochając, Priscilla opowiedziała mu, co się wydarzyło.

– Dlaczego mi nie powiedziałaś od razu? – zapytał zdziwiony krab.

– Nie miałam odwagi. Bałam się, że nie będę już dla ciebie nic znaczyła – wyznała ostryga.

– Jak mogłaś tak pomyśleć? To, że jesteś moją przyjaciółką znaczy dla mnie bardzo wiele. Perła się nie liczy, to ty się liczysz – odpowiedział Colin z powagą.

Krab Colin był zazwyczaj niezwykle spokojnym stworzeniem, lecz teraz wszystko w nim wrzało. Jak Larry miał czelność zrobić coś takiego! Zaatakować niewinną ostrygę i próbować skraść jej perłę w tak podstępny sposób! Colin zdecydował, że poruszy każdy kamień w rzece. Znajdzie perłę.

Szczypce kraba rozgarniały kamienie i muł na dnie rzeki. Uparcie i systematycznie przeszukiwał każde zagłębienie w zatoce. W końcu jego ciężka praca przyniosła rezultat. Wyczerpany, lecz z uśmiechem na ustach, Colin zaprezentował Priscilli błyszczącą perłę.

– Jestem ci dozgonnie wdzięczna – powiedziała Priscilla, głaszcząc czule tyle co odnalezioną perłę. – Nikt inny nie zawracałby sobie głowy szukaniem jej tak długo jak ty.

– Ale dlaczego w takim razie znowu jesteś smutna? – zapytał Colin, zdziwiony, że oczy przyjaciółki znowu pełne są łez.

– Życie z tobą i pod twoim dachem płynie tak przyjemnie. Ale bardzo tęsknię za swoją rodziną i oceanem – powiedziała cicho Prisclilla. – Jutro będę musiała cię opuścić.

Colin wiedział, że nie ma sensu przekonywać Piscilli, żeby została. Jej dom znajdował się na polu perłowym na wybrzeżu. Krab zdawał sobie z tego sprawę.

Węgorz Eddie przybył nazajutrz, aby podwieźć Priscillę do domu swoim nowym motokoptorem. Eddie właśnie wybierał się z wizytą do swojej rodziny mieszkającej za oceanem i obiecał po drodze podwieźć Priscillę do domu. Przed wejściem na pokład, Priscilla podziękowała krabowi i przytuliła go jeszcze raz. Dwójka przyjaciół uścisnęła się tak mocno, że aż skorupy zatrzeszczały. A potem drzwi motokoptora Eddiego zamknęły się i w ułamku sekundy jego fantastyczny pojazd zniknął w dole rzeki.

Krab Colin spacerował po pustym podwórku. Odczuwał smutek, lecz zdecydował, że we wszystkim należy dostrzegać pozytywne strony. Przecież ostryga perłowa bezpiecznie wróciła do domu i rodziny. A co najważniejsze, była teraz jego przyjaciółką. Colin podekscytowany zaczął planować przyszłość. Może też kupi sobie motokopter – jakiś mały i używany, żeby czasami odwiedzać ostrygę Priscillę.

Z nadejściem nocy księżyc pojawił się nad zatoką. Colin siedział na werandzie i podziwiał jego srebrny blask. Przypominał mu on o ostrydze i o perle. Lecz najważniejsze było to, że wiedział, iż tej nocy Priscilla patrzy na ten sam księżyc, gdzieś daleko na wybrzeżu. Tak się przecież umówili.

Lightning Source UK Ltd.
Milton Keynes UK
UKHW051811170822
407439UK00002B/89